Violette
et l'amoureux
de maman

Pour Maïté Ferracci, mon éditrice,

toujours à l'écoute de « Violette » et de son auteur…

a.-m. P

Pour mon frère, Frédéric.

a. a.

www.editions.flammarion.com

Conception graphique et mise en page : Flammarion et Lorette Mayon.
© Flammarion pour le texte et l'illustration, 2012.
87, quai Panhard-et-Levassor - 75647 Paris cedex 13
Dépôt légal : avril 2012 – Imprimé en Italie par Legoprint.
N° d'édition : L.01EJEN000730.N001 – ISBN : 978-2-0812-6415-1
Loi n°49-956 du 16 juillet 1949 sur les publications destinées à la jeunesse.

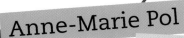

Anne-Marie Pol

Illustrations d'Aurélie Abolivier

Violette et l'amoureux de maman

Castor Poche

Chapitre 1

Après le beau temps... la pluie !

*P*aris,
Dimanche 28 mars,
Vers 10 heures du matin, dans ma chambre.

Depuis trois jours, je suis hypercontente !

Pourquoi ?

Parce que j'ai adopté un oiseau ! Je l'ai appelé « Marquis » tellement il est gracieux. Il perche, tout fiérot, dans le *Ficus benjamina*, le plus bel arbre des *Mille et une fleurs*. Je n'allais pas emprisonner un petit verdier* derrière les barreaux d'une cage comme le premier canari venu, hein ?

Mon oiseau est libre...

Et, moi, Violette, j'ai l'impression d'avoir des ailes !

* Petit oiseau vert vivant dans les bois et les jardins. Voir le volume 3, *Violette mène l'enquête.*

Maintenant, quand je fais mes devoirs pour le CNED*, l'idée que Marquis m'attend dans la boutique, un étage plus bas, m'encourage drôlement.

À cette minute, par exemple.

Oui, je sais, c'est dimanche, mais Maman m'a demandé de m'avancer en calcul pendant qu'elle-même travaille au magasin.

Alors, installée à ma table, j'essaie de «travailler».

Pas facile !

J'ai du mal à me concentrer à cause des bruits venus du marché, sur la place. Je mordille le bout de mon crayon en me répétant :

«*Robin a dû venir, ce matin…*»

Robin est le fils de la bouquiniste et, surtout, mon copain n° 1 (d'ailleurs, je n'ai pas de copain n° 2). Il ne sait pas encore que j'ai adopté Marquis…! Ça s'est passé jeudi, il faut dire, or Robin accompagne sa maman sur le marché uniquement les mercredis et les dimanches. Donc, aujourd'hui, JE DOIS À TOUT PRIX lui annoncer ce SCOOP d'enfer !

* Centre National d'Enseignement à Distance.

Lâchant mon crayon, je me précipite à la fenêtre. Pour lorgner l'étalage de la bouquiniste, j'écrase mon nez au carreau. Hélas, je ne vois que les bâches mouillées des stands et les gens qui, sous les corolles des parapluies, se faufilent dans les allées.

En effet, il pleut! Oh! là, là! Ce qu'il pleut!

Mais comme je dis toujours: «Je ne suis pas en sucre!»

Et je me décide.

« Allez, j'y vais! »

Où? Vérifier que Robin est bien là, tiens!

Enfin…

Si Maman me donne la permission, parce que, entre nous, ma mère n'est jamais vraiment «permissive», comme on dit à la télé!

Je dévale l'escalier intérieur qui va de l'appart à la boutique et passe la tête par la porte de communication restée entrouverte.

– Mam'?

OUF! Elle est encore seule. L'air rêveur, ses longs cheveux blonds cachant à demi son visage de fée, elle installe des roses dans un vase. Elle sursaute à mon appel.

– Tu as déjà fini? s'étonne-t-elle.

– Pas tout à fait, mais…

J'expose ma requête. Ma mère secoue la tête : non.

« Qu'est-ce que je disais ? »

– Tu sortiras, ma chérie, quand ton devoir sera complètement terminé et que l'averse aura cessé, car si jamais tu attrapais froid, ce serait…

Au lieu de terminer sa phrase, elle soupire.

Maman croit que je suis en sucre, elle, sans doute à cause de la Sorcière Asthme qui me tarabuste… quelquefois !

J'essaie de protester :

– M'enfin, Maman…

À cet instant, un client entre ; j'en reste muette. Ma mère aussi.

ÇA ALORS !

LUI ?

LE PHARMACIEN !

Il n'est pas vêtu d'une blouse blanche comme dans son officine*. Il porte un jogging gris taché de pluie, ses cheveux dégoulinent, mais il sourit grand comme ça en bredouillant :

---

* On appelle ainsi le local du pharmacien.

– Je passais et… euh… je voulais vous demander où en est votre blessure depuis l'autre jour, madame… euh… Églantine ?

« *Il se souvient du prénom de Maman ?* »

Ça m'énerve !

– Ma blessure est guérie, lui répond Maman, grâce à vous.

Elle sourit à son tour et une onde rose lui farde les joues. Ma parole, on dirait que le pharmacien l'intimide.

– J'ai fait peu de chose, proteste-t-il.

– Oh si, c'était beaucoup !

N'importe quoi.

Ce bonhomme s'est contenté de vendre à Maman une pommade et un calmant, vu qu'elle s'était pincé le doigt dans la tapette à souris*.

Cela vaut-il la peine d'en faire trois tonnes ? NON !

Et ma mère de s'exclamer :

– Mais… vous êtes trempé !

– Je suis sorti courir, figurez-vous, et le déluge m'a surpris.

Le déluge ?

Pourquoi pas le tsunami, pendant qu'il y est ? Il veut se donner de l'importance, on dirait, le pharmacien. Et ça marche. Maman se récrie :

– Vous ne pouvez pas rester comme ça !

Même si, momentanément, elle remplace Mamita (ma grand-mère qui s'est cassé une jambe) aux *Mille et une fleurs*, elle garde des réflexes d'infirmière, son véritable métier.

* Voir le volume 3, *Violette mène l'enquête.*

13

– Je vais vous prêter une serviette, monsieur…
euh… Aymon, dit-elle.

« Elle aussi a retenu son nom ? »

Ça m'énerve !

Il murmure, alors, la fixant de ses yeux bleus :

– Ne m'appelez pas « monsieur », s'il vous plaît.

Maman rougit carrément.

– Dans ce cas, ne me dites pas « madame » !

Elle disparaît vite fait dans l'arrière-boutique et reparaît avec un essuie-main à petits cœurs roses.

– Tenez… Aymon.

– Merci… Églantine.

Ils rient bêtement, tous les deux, pendant qu'il se frotte la tête.

Et Violette, dans tout ça ?

Je suis devenue invisible pour Maman.

À cette minute, j'ai autant d'importance pour elle qu'un pot de fleurs.

Ça m'énerve !

Ou, plutôt, j'ai le moral en chute libre. Heureusement, le petit verdier vient à mon secours. Il sort de son abri avec un joyeux pépiement et il voltige, et il pique en rase-mottes, et il remonte d'un coup d'aile se poser sur la plus haute branche du ficus...

Quel show !

Du coup, le pharmacien ébahi ne regarde plus ma mère.

« Merci, Marquis ! »

Elle se rappelle enfin que j'existe.

– Tu as vu, ma chérie ? s'écrie-t-elle, la pluie a cessé ! Va faire un coucou à Robin, si tu veux.

– Non, je ne veux plus.

Comme si j'allais la laisser seule avec ce « bonhomme » ! Je veille sur elle, moi, qu'est-ce qu'elle croit ?

– D'ailleurs, j'ajoute, je n'ai pas fini mon travail. ET TOC !

Maman hausse les épaules.

– Bah, c'est dimanche, finalement.

Je ne réponds pas. Tête levée, j'observe les tours et détours de Marquis.

JE NE BOUGERAI PAS!

Chapitre 2

Pas prêteuse
des sentiments

*C*inq minutes plus tard...

– Mes cheveux sont secs ! annonce le « sauvé-des-eaux ».

OUF !

Maintenant, il pourra enfin rentrer chez lui. BON DÉBARRAS !

Mais il précise à Maman :

– J'emporte votre serviette pour la mettre à la machine...

QUOI ?

« Comme s'il ne pouvait pas la rendre tout de suite ! »

– ... et je vous la rapporte... euh... demain, Églantine.

Il va revenir, alors?

BONJOUR, LE POT DE COLLE!

Sur ce, retentit un «Coucou, Violette!» qui m'empêche d'entendre la réponse de Maman: Noura déboule dans la boutique! En temps normal, ce serait une belle surprise; là, je suis presque contrariée.

Bises (quand même).

Après avoir salué les deux grandes personnes, ma copine – la seule que j'aie, donc la meilleure – me souffle à l'oreille:

– Tu sais qui c'est, ce monsieur?

ÇA OUI, MALHEUREUSEMENT, JE SAIS!

Mais sans attendre ma réponse, Noura chuchote:

– Le papa de Raph.

– Et Raph, qui est-ce?

– Mon amoureux, tiens! Je t'en ai déjà parlé.

– OK, je me rappelle…

J'arrive (enfin) à sourire pour de bon à Noura.

Le pharmacien est père de famille, c'est-à-dire marié, donc *pas libre*? Quel soulagement!

À le voir faire son intéressant devant ma mère, je le croyais célibataire. Et qu'elle trouve du charme à un « homme libre », pas question !

Remplacer mon papa ? Ça non !

Cela dit, elle ne peut pas. Depuis que, suite à son accident de moto, il n'est jamais revenu à la maison, le cœur de Maman a été brisé définitivement…

Là-dessus ma copine claironne :

– Où il est, l'oiseau ?

– Maintenant, il s'appelle « Marquis », tu sais.

– Oooooh ! J'adore !

Elle se dévisse la tête pour l'apercevoir, mais le petit verdier s'est planqué. Ça me fait presque plaisir.

« Marquis ne reconnaît que moi, on dirait. »

À l'air déçu de Noura, je m'adoucis soudain, d'autant que le pharmacien s'en va…

BYE, BYE !

Je sifflote entre mes dents et… Marquis revient, virevoltant au-dessus de nos têtes !

– Il a l'air super-content, remarque Noura.

– Tu penses !

Je m'explique :

– Dans l'arbre, il a tout le confort : j'ai posé une coupelle d'eau au pied du tronc, tu as vu ? et chaque matin, j'éparpille des graines sur la terre du pot…

– Comme ça, il se croit en pleine nature, hein ? GAGNÉ !

Je souris à Noura. Une copine qui comprend tout ? Trop sympa !

– Si on lui construisait un nid ? me propose-t-elle.

– C'est déjà fait !

J'ai placé un vieux torchon roulé en boule à la fourche d'une grosse branche. Je le montre fièrement à mon amie.

– Marquis doit y dormir comme… un roi! s'écrie-t-elle.

J'éclate de rire. Et j'admire avec Noura, éblouie, les évolutions aériennes du locataire des *Mille et une fleurs*.

– Il est un peu à toi, tu sais, je finis par marmonner, juste pour faire plaisir à ma copine.

Parce que l'oiseau m'appartient à 100 % comme ma maman! Personne ne viendra me la chiper. Je ne suis pas prêteuse des sentiments, moi!

Soudain, fin du spectacle : Marquis disparaît dans son nid (sous nos applaudissements).

– Dis, Violette, on va se balader au marché? suggère alors Noura.

Je me tourne vers Maman qui, le regard rêveur, s'est assise à la caisse.

– Je peux, Mam'?

Elle tressaille comme si je l'avais pincée :

– Quoi-oi? bafouille-t-elle.

Elle ne nous a pas entendues. Je dois répéter. Et elle accepte que je sorte ! Je me précipite pour décrocher ma doudoune, pendue dans l'arrière-boutique.

– Je t'accorde une demi-heure, me précise Maman.

Elle ne m'a jamais permis de me balader « dehors », sans elle, aussi longtemps. Elle me donne même 5 euros à dépenser comme je veux.

C'est la fête… on dirait !

Au moment où je sors avec Noura de la boutique, Muguette, l'apprentie, y entre (en retard comme d'habitude) de son pas lymphatique*!

OUILLE…

Ça va chauffer !

Mais :

– Tout roule pour vous, ce matin, Muguette ? lui demande Maman d'un ton joyeux.

Je n'en reviens pas.

* Mou.

Quand elle est gaie, ça m'étonne toujours, il faut dire ! Depuis qu'on n'a plus Papa, elle est souvent morose.

Et je file avec une drôle d'impression.

Ce matin, ma maman ne serait pas un peu « zarbi », comme dirait Robin ?

Chapitre 3

Un amoureux ?

Sur la place du Marché-Saint-Romarin,
À 10 h 30

Le marché un jour de pluie ? Trop triste !

Les acheteurs sont rares et, les pieds dans les grosses flaques, les marchands tirent des têtes d'enterrement.

– On va voir Robin ? je demande à Noura.

– Si tu veux.

Elle se met à rigoler.

– J'ai compris, tu sais, Violette !

– Tu as compris quoi ? je bredouille.

– Qu'il était ton amoureux, tiens !

Je rougis bêtement en protestant :

– Ben non !

D'abord, un « amoureux », c'est quoi ? Juste un « copain », ou bien quelqu'un qui vous donne des bisous comme dans les films à la télé… ?

Je n'ose pas poser la question à Noura.

J'ai trop peur d'avoir l'air d'une cloche ignorante à côté d'elle, vu que ma copine s'y connaît en amoureux, on dirait. En plus, je ne sais pas trop si j'ai envie d'embrasser Robin…

Je réfléchis au problème en zigzaguant avec Noura entre les stands, quand… je pile devant une énorme brioche à 3,05 euros en forme de couronne saupoudrée de sucre !

Elle trône sur l'étalage de la boulangerie.

– Hé, Noura, si on se l'achetait ? On la partagera avec Robin !

– Qu'est-ce que je disais ? triomphe ma copine.

Je la regarde avec des yeux ronds.

– Pourquoi tu aurais envie de lui faire plaisir, chuchote-t-elle, s'il n'était pas ton a-mou-reux ?

Imparable.

J'en suis très, très gênée.

Elle a peut-être raison… au fond ?

Pour cacher mon embarras, je bredouille :

– Tu veux de la brioche ?

Noura ne refuse pas, et moi, je m'y mets aussi ! Tout en s'empiffrant, on vagabonde sur le marché en direction de la bouquiniste. Un vague rayon de soleil se résout à poindre. Il fait briller les flaques où vient se mirer le ciel ; j'adore me pencher sur son reflet dans l'eau et m'y voir, moi aussi, en surimpression, comme si je flottais parmi les nuages…

À cette minute, Noura s'étouffe avec une bouchée. Je lui tape dans le dos.

– Raaaph ! éructe-t-elle.

– Où ?

– Là-bas, avec un blouson vert.

Je regarde. Dans la file des client(e)s avec imperméables ou capuches en plastique transparent attendant sous l'auvent rayé rouge et blanc du charcutier, je vois un… deux… trois garçons bruns à blouson vert !

– Les fils du pharmacien… me souffle Noura.

Ils sont beaucoup plus grands que nous – surtout un. Ils ont entre douze et quatorze ans, je suppose.

– Raph, c'est lequel? je m'informe.

– Un des jumeaux.

En effet, les plus petits se ressemblent comme deux feuilles de salade. Je m'étonne:

– Comment tu reconnais… euh… le tien?

– Quand on a un amoureux, on le reconnaît toujours, me rétorque Noura.

Sa science me coupe le sifflet. Pas longtemps. Je chuchote à Noura :

– Tu vas lui dire bonjour ?

– J'ose pas, m'avoue-t-elle. Je ne lui ai jamais parlé.

Comme quoi, un amoureux, ça peut être aussi quelqu'un auquel on pense en secret, même s'il ne le sait pas. Ma copine en paraît toute chamboulée…

Brusquement, je me sens plus forte !

– Si tu n'as jamais parlé à ton… euh… amoureux, je demande à Noura, comment tu sais qui c'est ?

– Par mon frère aîné, tiens ! Il fait du « skate » sur la dalle avec Eliott, le grand, *les week-ends où les fils du pharmacien viennent chez leur papa…*

– Parce que d'habitude ils n'habitent pas avec lui ? je balbutie.

J'ai peur de comprendre.

– Ben non, me précise Noura, leurs parents sont divorcés, tu comprends ?

J'ai compris.

Et j'en reste scotchée.

• Le pharmacien est divorcé…

• Donc, il est libre…

• Libre de faire le paon amoureux devant Maman, quoi !

Ça me plombe. J'oublie Robin.

Soudain, je n'arrive plus à avaler la moindre miette.

– Qu'est-ce que t'as, Violette ? s'étonne Noura.

J'ai envie de voir ma mère et d'être dans le coin si jamais le « paon » revient. Parce que, moi, je vais me débrouiller pour l'empêcher d'approcher…

Mais comment l'avouer à ma copine ? Il s'agit d'un secret de famille, un horrible secret. Alors, je mens :

– J'ai mal au cœur, ça doit être la brioche.

Ayant refilé le sachet à Noura, je détale.

– Et Robin, alors ? me crie-t-elle.

Je ne réponds pas.

Chapitre 4

Comme une balle...

aux Mille et une fleurs,
Cinq minutes après...

J'entre en trombe.

Au passage, j'accroche le gros hortensia; il bascule contre l'hibiscus et les deux pots se renversent... BOUM! Maman en lâche le bel arum qu'elle allait ajouter à une gerbe.

« Elle ne serait pas un peu nerveuse, ma mère? »

– Voyons, Violette, me gronde-t-elle, du calme, s'il te plaît!

Où est le problème?

Je relève les plantes tombées, et voilà!

Mais un vieux monsieur attendant son tour remarque:

– Les enfants actuels sont tous des «chevaux échappés».

Merci bien!

Cette comparaison me vexe. Maman va-t-elle remettre le ronchon à sa place? Même pas! Après avoir ramassé la fleur, elle continue son travail.

Décidément, aujourd'hui, je passe APRÈS pour ma maman.

Soudain, j'ai une énorme envie de pleurer.

Je me tourne vers Muguette (qui est toujours gentille avec moi).

Elle tâche de vendre à une dame un pot de fleurs blanches et lui fait l'article:

– 8 euros les campanules! Ce sont des «vivaces»*, vous savez? Elles dureront longtemps!

– En plus, elles sont super-jolies, je m'écrie, moi, j'adooore…

L'acheteuse me toise:

– Personne ne t'a demandé ton avis.

La vexation! J'en rougis à éclater.

J'essaie d'aider, c'est tout, elle devrait apprécier, cette idiote!

* Plantes qui vivent plusieurs années et refleurissent souvent.

Maman va le lui dire, j'espère, et me défendre. Eh bien, non! Imperturbable, elle enveloppe sa gerbe dans la Cellophane.

Traduction : ma mère me laisse tomber.

Oh! là, là! J'ai l'impression d'être une balle, roulant çà et là, que chacun repousse du pied. Je finirai oubliée sous un meuble.

Je jette un coup d'œil vers le ficus. Si Marquis apparaissait, ça me consolerait. Il ne se montre pas. Soudain, je me sens vraiment seule ou... en trop.

Que faire ?

Tête basse, je remonte à l'appart. Je commence à regretter d'avoir raté Robin...

Une fois au salon, je saute sur le téléphone pour appeler Mamita !

Elle aussi est seule.

Quand on se retrouve coincé à l'hôpital, on se sent seul, évidemment, même s'il y a trente-six médecins, infirmières ou aides-soignants autour de vous.

Ma grand-mère m'écoutera. Je le sais. Elle m'écoute toujours. Et pianotant son numéro, je me sens déjà mieux. Hélas, la sonnerie s'égrène interminablement.

Pas de réponse.

Je raccroche.

Et je fonds en larmes.

Je renifle.

À quoi ça m'avance de pleurer ? À rien ! Personne ne s'inquiète de moi (et surtout pas Maman) : il y a du monde dans la boutique. Quand je me penche par-dessus la rampe de l'escalier intérieur, j'entends un ronron de voix ; des mots familiers me parviennent : « Tulipes… narcisses… pétunias… »

Ça me rassure !

Cela dit, je veille et, même, je surveille.

Je suis devenue le garde du corps d'Églantine Maillet, ma maman. Si jamais, à un moment ou un autre, je reconnais la voix du « paon amoureux », je descendrai illico.

GARE À LUI !

Qu'est-ce qu'il croit ? Il se permet de faire les yeux doux à ma mère ? Hé, ho, je ne vais pas faciliter les manœuvres mielleuses de ce bonhomme… !

Il peut compter sur moi aussi sûr que je m'appelle Violette.

Je tends le bras en proclamant :

– PROMIS, JURÉ, CRACHÉ PAR TERRE !

Je ne crache pas pour de bon, vu le tapis rose, mais ma conviction suffit, je le sais.

La guerre est déclarée !

Ensuite, je m'affale parmi les coussins du canapé, sous les branches du yucca. Je pousse un gros soupir. Mon humeur s'accorde pile-poil avec le temps : la pluie qui a repris ruisselle tristement sur les carreaux.

Je pense à notre vie avec Papa. Elle me semble loin, très loin, et lui m'apparaît tout brouillé, comme un personnage entrevu en rêve.

Mon impression s'appelle peut-être *l'oubli* ?

Ah ! non ! Je refuse cette idée. Je n'oublierai jamais mon père. Il ne manquerait plus que ça !

Je bondis sur mes pieds pour foncer vers l'étagère où Mamita a rangé ses albums de photos. Je sors de la pile le rouge portant cette indication :

« *Qui, Églantine et Violette* »

Ça me fait drôle de voir nos trois prénoms réunis, comme si Papa se trouvait encore avec nous…

Je tourne les pages, une à une.

Les photos me racontent la belle histoire de mes parents.

Ils se sourient, ils courent main dans la main, ils s'embrassent à l'abri du voile de mariée de Maman et ils se penchent ensemble sur un affreux têtard en grenouillère : moi !

« Ils furent heureux, ils eurent un enfant et… »

Pourquoi, au contraire des contes de fées, leur histoire a-t-elle mal fini ?

Je trouve ça très injuste.

Je reviens à la photo du mariage de Papa et Maman. Qu'ils s'aiment, tous les deux ! Ça saute aux yeux et me rassure.

Le pharmacien n'a aucune chance.

Après Gui, mon papa, PERSONNE ne pourra plaire à ma mère.

Quoique.

Le « paon amoureux » a l'air tellement super glu que je préfère me méfier et… agir !

Soulevant la pellicule transparente qui la protège, j'ôte la photo de l'album, puis je cours farfouiller dans le « tiroir bazar » de la cuisine où, entre trois bougies, une lampe de poche et une vieille couronne des Rois, je découvre une boîte de punaises…

Deux minutes plus tard, je pique le portrait de mes parents sur le mur du salon.

Bien en vue.

Comme pour dire à Maman :

« SOUVIENS-TOI ! »

Et, de grosses larmes dans les yeux, je reste plantée un long moment devant l'image de ce bonheur perdu…

Chapitre 5

Juste une photo!

Toujours au salon…
11 h 30

Driiiing !
La sonnerie du téléphone m'arrache à ma contemplation. Je décroche à la vitesse du son.
Qui appelle d'habitude sur le fixe ?
Mamita, bien sûr !
En entendant son « allô », je m'écrie :
– TROP GÉNIAL !
Alors, sans laisser à ma grand-mère le temps de placer un mot supplémentaire, je lui explique que, blablabla, ça tombe bien, blablabla, j'ai essayé de la joindre, blablabla, malheureusement, elle n'était pas dans sa chambre, blablabla, et…

– Quel moulin à paroles ! m'interrompt-elle. Si tu m'écoutais, ma petite fée ?

Sa remarque me douche, malgré le mot doux final. C'est la mode ou quoi ? Aujourd'hui, tout le monde me rabroue, même Mamita...

– Va chercher ta maman, m'enjoint-elle. Je dois lui parler d'un problème sérieux.

Je m'affole aussitôt :

– Lequel, Mamichérie ?

Je l'appelais comme ça quand j'étais toute petite. Du coup, elle s'attendrit et m'avoue :

– Il va falloir que vous restiez plus longtemps à Paris, Églantine et toi...

– CHOUETTE ! je braille.

– Parce que je dois partir en convalescence. J'ai bien essayé d'éviter, mais le médecin y tient. J'en discutais avec lui lorsque tu as téléphoné. J'espérais pouvoir revenir travailler avec des béquilles, mais c'est raté, d'autant qu'une fois débarrassée de mon plâtre, je serai obligée de passer par la case « rééducation ».

Elle a l'air drôlement embêtée.

Je souffle:

– La «réé... machin» te fait peur, Mamita?

– Non, me répond-elle, c'est la réaction de ta mère qui m'inquiète: elle va être furieuse!

Ça ne m'étonnerait pas. Depuis qu'on est ici, ma mère n'a qu'une envie: rentrer chez nous, à Saint-Égrève. Alors, prolonger son séjour, ce sera une moche surprise!

– Bon, ben, je conclus, je descends la chercher.

Moi aussi, j'ai le trac, soudain.

Maman est douce, mais si elle s'énerve... ça éclate! Pourvu qu'elle ne se dispute pas avec Mamita!

– Tu sais, je lui dis (pour la consoler à l'avance au cas où...), la boutique marche super bien, comme si tu étais là!

Elle a un petit rire fêlé.

Je descends quatre à quatre l'escalier...

Puis je le remonte, suivie de Maman qui ronchonne:

– Ta grand-mère pourrait me téléphoner au magasin, cela me dérangerait moins…

Elle empoigne l'appareil d'un geste impérieux.

OUILLE! C'est mal parti.

Pendant qu'elle écoute parler Mamita, je jette des regards inquiets à Maman. Mais aucun signe de la contrariété attendue ne vient froisser son visage…

– Tu dois te soigner au mieux, finit-elle par répondre *gentiment* à sa mère, et nous resterons à Paris le temps qu'il faudra. Ne te fais aucun souci!

ÇA ALORS!

Un vague sourire l'éclaire.

Elle raccroche après les «bisous» habituels et redescend aussi sec au magasin. Moi, je ne bouge pas.

Je récapitule les faits.

1) Maman ne s'est pas énervée...

2) Elle paraissait presque contente...

3) En plus...

«Elle n'a pas remarqué la photo sur le mur!»

Il y a un truc bizarre – je trouve.

Ça me pince le cœur.

Chapitre 6

De toutes les couleurs !

*D*ans le magasin,
Aux environs de midi...

Ce « truc bizarre » me tarabuste.

Je retourne auprès de Maman avec l'idée de « l'observer ». Manque de bol, je n'observe rien du tout, sauf qu'elle est occupée par deux clientes à la fois.

Quand elle me voit plantée sous son nez, elle m'expédie direct dans l'arrière-boutique en me disant :

– Va donc dessiner, Violette, je n'ai pas le temps de m'occuper de toi !

J'obéis avec empressement. Dessiner ? Je veux bien ! Ça me changera de « mon » calcul en panne là-haut. Une chance que Maman l'ait oublié !

Je me lance aussitôt dans un portrait de Marquis. Je l'offrirai à Mamita – comme la plupart de mes œuvres. Ça chassera ses images grises d'hôpital ou de « rééduc… machin ».

Il a des si jolies couleurs, mon verdier…

L'autre jour, Maman m'a acheté une boîte de peinture ; alors, je me régale ! Je mouille mon pinceau au gobelet rempli d'eau, patouille dans le godet du « Vert Véronèse » (c'est écrit au-dessus), puis je l'étale sur l'aile que je viens de dessiner au crayon, ensuite j'y ajoute une touche de « Jaune d'or ».

TROP BEAU !

C'est mon Marquis « tout craché » !

Je tends la feuille à bout de bras pour admirer mon travail ; sans exagérer, on dirait un vrai tableau, comme on voit dans les musées.

Du coup, hypercontente, je crie :

– Maman, regarde !

C'est Muguette qui me répond :

– Elle vient de sortir, ma puce, pour aller au marché acheter le déjeuner.

Les clientes sont parties aussi.

Tout à ma peinture, je ne me suis rendu compte de rien. Et Maman a filé dans mon dos. Ça s'appelle un coup en douce, non ?

Je m'indigne :

– Quand même, elle aurait pu m'emmener !

– Elle a peut-être besoin de respirer un peu, ta mère ! m'assène l'apprentie.

J'en reste médusée.

Pourquoi Maman aurait-elle «besoin de respirer» ?

Parce qu'elle étoufferait avec moi, par hasard ?

Je m'exclame :

– N'IMPORTE QUOI !

Muguette rigole :

– Tu es «occupante», tu sais, Violette, mine de rien...

– Ça veut dire quoi, «occupante» ? je grommelle.

– Ben, tu occupes ta mère...

Tu parles d'une explication ! Elle ne m'avance pas beaucoup. Fusillant l'apprentie du regard, je riposte :

– C'est le rôle d'une maman d'être occupée par son enfant !

D'ailleurs...

Je vais le prouver dare-dare à la mienne !

Et je sors au triple galop...

Chapitre 7

Cache-cache

au marché,
12 h 30

Une éclaircie, les clients affluent *in extremis*; ça bouchonne dans les allées! J'ai envie d'appeler: «MAMAN!» Je me retiens. Je ne tiens pas à avoir l'air d'un bébé devant tout le monde.

N'empêche. J'ai le cœur serré.

Comment la retrouver?

Me faufilant dans la foule, je cours de l'étalage des poulets rôtis au stand des brochettes, en passant par celui du «Roi de la choucroute», lorsque j'aperçois ma mère à quelques mètres, poireautant avec d'autres acheteurs devant l'éventaire de «Délices de Chine». Une idée géniale!

Maman l'a eue en pensant à moi ; je raffole du riz cantonnais, du bœuf au saté et des petits nougats constellés de sésame !

Elle est trop sympa !

Ça vaut un ÉNORME baiser, hein ? Je m'apprête à me précipiter vers elle, bras tendus, et... LE CHOC !

Je vois ma mère se retourner avec un grand sourire vers son voisin...

Et son voisin, c'est le pharmacien !

Il ne la lâche plus, ma parole ! Il l'a même coursée jusqu'ici, je parie ! Avec trois fils à nourrir ce dimanche, il a un bon prétexte pour suivre Maman au marché...

Le pire : ça ne semble pas la gêner !

Afin de les épier, je me ratatine vite fait derrière un échafaudage de pantoufles (une chance : la marchande me tourne le dos). De mon « observatoire », je n'en perds pas une. Maman paye sa commande, le pharmacien, la sienne, puis chacun prend son paquet.

Bon.

Ils vont se séparer maintenant, non ?
NON !

S'écartant d'un pas, ils restent là et ils discutent ;
qu'ont-ils de tellement intéressant à se dire, hein ?
Malgré le boucan environnant, j'essaie d'écouter…
quand *ON* me plaque deux mains sur les yeux !

Je me débats en couinant :

– Hiiiiiiiiiiiiiiii !

ON me libère.

– Désolé, Violette, bredouille Robin, rouge jusqu'à ses grandes oreilles, je ne voulais pas te faire peur. Je croyais que tu jouais à cache-cache avec Noura…

Je lance un regard furibard à mon... euh... amoureux :

– Trop malin !

Pendant ce temps, Maman est partie, le pharmacien aussi. Là-dessus, la marchande de pantoufles se retourne de notre côté :

– Hé, les gamins, piaille-t-elle, vous vous croyez dans la cour de récré ? Filez de chez moi !

On obtempère.

– Tu sais, m'apprend Robin, Noura m'a raconté pour Marquis...

Oh ! Elle a un certain toupet !

Même si je le lui prête (amicalement), c'est *mon* verdier. À moi d'en parler à Robin ! Et je vais le signaler illico à ma copine.

– Et maintenant, elle est où ? je demande, sourcils froncés.

– Sa maman l'a rappelée pour déjeuner.

OK. L'explication aura lieu plus tard. Mais elle aura lieu !

– Je voudrais bien que tu me le montres, cet oiseau, bredouille alors Robin.

Et je me rends compte que je ne suis pas fâchée *pour de bon* contre mon… amoureux.

Je l'attrape par la main :

– Allez, viens ! Tu vas voir ce que tu vas voir !

Chapitre 8

Hibiscus
ou hortensia ?

Les mille et une fleurs,
À 12 h 45

On se précipite, Robin et moi, par la porte restée entrouverte ; dans l'arrière-boutique, Maman déballe ses achats en *chantonnant...*

Lorsqu'elle m'aperçoit, elle fredonne sur le même ton :

– *J'ai plein de suuurprises pour toi-oi, ma Viooolette !*

On se croirait dans une comédie musicale.

Robin me souffle :

– Elle est marrante, ta mère...

Non, justement, d'habitude elle ne l'est pas ! Qu'elle le soit devenue par miracle me paraît très mauvais signe.

Soudain, j'ai l'impression que mon cœur pèse deux cents kilos.

Qu'est-ce qu'il lui prend, à ma mère ?

Elle me sourit.

– J'ai envoyé Muguette acheter des gâteaux pour le dessert, m'annonce-t-elle.

Je grogne :

– Ben, je n'ai pas faim, moi !

Et son sourire s'efface.

– L'oiseau est où ? me chuchote alors Robin. Je ne le vois pas !

Je tressaille.

Avec « tout ça », j'avais presque oublié pourquoi mon amoureux m'a suivie jusqu'ici. Je m'apprête à lui désigner le *Ficus benjamina*, mais je n'en ai pas le temps. À cette minute, déboule une cliente super-stylée ; elle s'est « mise sur son trente et un », comme dirait Mamita.

Et il se passe une scène… incroyable !

La dame, survoltée, s'adressant à Maman :

– Je-suis-invitée-à-déjeuner-dans-cinq-minutes-
et-je-veux-apporter-un-hortensia-à-mes-amis !

Maman, sortant du cagibi :

– Un hortensia ? J'en ai justement un magnifique
à vous proposer !

*(Elle s'empare de l'hibiscus et le montre tel un
trophée.)*

*La dame, le nez chatouillé par les fleurs rouges de
l'hibiscus :*

– Vous êtes sûre qu'il s'agit d'un... hortensia ?

Il faut que j'intervienne.

– Voyons, Maman, je m'écrie, tu confonds !

Ma mère s'exclame :

– Suis-je distraite !

Elle fait l'échange en un tour de main, mais la cliente la regarde d'un air dubitatif. Fleuriste ou pas ? se demande-t-elle. En emballant la plante, puis en encaissant l'achat, Maman ravale un fou rire, on dirait, comme si c'était drôle de prendre l'hibiscus pour un hortensia !

J'ai honte pour elle. Si Mamita savait ça…

– Hé, Violette…

Robin me tire par la manche.

– Je ne vois pas l'oiseau !

– Il se montre seulement quand je le siffle…

Aussitôt dit, je sifflote, sifflote, et sifflote encore. Sans résultat.

Le souffle coupé, je secoue les branches du ficus. En vain. Je ne réussis qu'à faire dégringoler le « nid » de Marquis. Lui n'apparaît pas.

Je dois voir la vérité en face : mon oiseau s'est envolé !

Frappée par ce coup inattendu, je ne peux même pas pleurer.

Robin me met la main sur l'épaule.

Ça ne me console pas.

Chapitre 9

Deux secondes et demie plus tard…

Mon chagrin vire à la colère.

J'ai l'impression d'être devenue une boule de piquants, un hérisson d'énervement.

– C'EST TA FAUTE! je crie à Maman. TU ES REVENUE DU MARCHÉ ET TU AS LAISSÉ LA PORTE OUVERTE! OU ALORS, TU N'AS PAS DIT À MUGUETTE DE BIEN LA FERMER.

Elle me décoche son regard bleu glaçon; il me transit de la tête aux pieds.

– Parle-moi sur un autre ton, Violette, s'il te plaît, m'ordonne-t-elle.

Je me tais. Robin se racle la gorge, puis bredouille:

– Ma mère doit s'inquiéter, tu sais, Violette. À plus !

Et il décampe.

Tu parles d'un « amoureux » ! Finalement, je ne sais plus s'il en est un… et, soudain, mes larmes dégoulinent en cataracte ; elles adoucissent Maman sur-le-champ.

– Sois raisonnable, ma chérie, dit-elle en m'enlaçant. Personne n'a jamais apprivoisé un verdier, tu le savais dès le début. Il s'est arrêté chez nous, peut-être parce qu'il était fatigué. Une fois reposé, il est parti.

Ma mère me dit EXACTEMENT ce que JE N'AI PAS ENVIE d'entendre. Je la repousse. À cet instant, le paquet du pâtissier à la main, Muguette entre en claironnant :

– J'ai pris des tartelettes aux fraises ! Ça vous va ?

– M'en fiiiiiiiiiche, je pleure.

À mi-voix, Maman lui transmet la mauvaise nouvelle.

– T'inquiète, ma puce ! s'écrie l'apprentie. Ton oiseau reviendra peut-être, comme l'autre jour* ?

---

* Voir le volume 3, *Violette mène l'enquête*.

C'est la remarque que j'espérais ! Muguette la souligne d'une grosse bise. Entre deux reniflements, je réussis à sourire à cette fille compréhensive.

– Au fait, lui annonce Maman, j'ai une surprise pour vous : je vais fermer à 17 heures. Vous pourrez donc partir plus tôt que d'habitude.

– En quel honneur, madame Églantine ?

Ma mère rougit.

– Violette et moi sommes invitées à goûter chez le pharmacien, révèle-t-elle.

LA COMMOTION !

J'en vois trente-six étoiles. À croire qu'un géant m'a collé une gifle. Pourtant, je réussis à hurler :

– JE N'IRAI PAS !

« Goûter chez le pharmacien… »

Et quoi encore ?

Un, je refuse de devenir amie avec lui, deux, je veux rester ici pour attendre le retour de Marquis et lui ouvrir ! Mais je n'ai pas le temps de m'expliquer…

– Tu feras ce que je te dis, s'exaspère Maman, et pour le moment monte dans ta chambre ! Tu redescendras déjeuner quand tu seras calmée.

– JE NE SERAI JAMAIS CALMÉE !

Sur ces mots sanglotés-vociférés-gémis, je m'engouffre dans l'escalier.

Elle m'attend en haut...

Et la Sorcière Asthme me cueille quand je débouche dans le salon. Ses mains griffues m'écrasent les poumons. Je ne peux plus respirer. J'essaie d'avaler un peu d'air, elle m'en empêche.

VITE...

Je dois récupérer l'aérosol magique qui réussit à neutraliser cette vieille chouette! Mais, la respiration sifflante, les jambes toutes molles, je n'ai pas le courage de le chercher à la salle de bains. Alors, j'appelle:

– Maman...

Chapitre 10

Le langage
du cœur

au salon,
Une demi-minute plus tard…

Ma mère me trouve pelotonnée sur le canapé.

Pas besoin que je m'explique, elle a compris ; elle cavale jusqu'à la salle de bains et revient avec l'arme spéciale Sorcière A.! Même si cette sale bête s'est assise sur ma poitrine, je réussis à me redresser parce que, une fois Maman auprès de moi, je me sens déjà soulagée.

– Ma petite fée…

Elle me caresse la joue, avant de m'expédier le « pschitt » du « vapo » dans les poumons. Du coup, panique chez la Sorcière Asthme…! Elle s'enfuit.

SALUT…

VA AU DIABLE, VIEILLE CHOUETTE !

Maman me prend dans ses bras ; nous restons ainsi, sans parler, un bon moment. Ça me permet de réfléchir. Et je finis par prononcer cette phrase terrible, cette phrase qui me griffe le « dedans » tellement j'ai de peine à la sortir :

– Je voudrais retourner à Saint-Égrève.

Stupeur de Maman !

Elle ne me croit pas. Normal, vu tout le foin que j'ai fait pour venir (et rester) à Paris !

Je dois lui avouer la vérité.

– Si on ne s'en va pas, tu vas oublier Papa, je dis tout bas, et je ne veux pas.

– C'est pour ça que tu as mis sa photo sur le mur ?

Elle l'a vue, alors ? À mon tour d'être sidérée ! Je regarde ma mère avec de grands yeux. Les siens, si clairs, se remplissent de larmes.

– Je n'oublierai jamais Gui, chuchote-t-elle, c'est impossible ! Quand on a aimé quelqu'un, on l'aime pour toujours, même s'il n'est plus là, parce que l'amour est une plante vivace, tu sais ?

Je hoche la tête ; j'ai compris.

Malgré sa bouche qui tremble, Maman réussit à me sourire.

– Je penserai toujours à ton papa, murmure-t-elle, d'autant qu'il m'a laissé une très jolie fleur, toi, ma petite Violette ! Mais pour être heureux, tu sais, dans la vie, il faut savoir cueillir aussi les autres fleurs qu'elle vous apporte…

Sa voix se casse.

Alors, on se met à pleurer et à rigoler en s'embrassant fort, très fort, toutes les deux. Quand je relève le nez, je jette un coup d'œil à la photo de Papa.

Et, c'est drôle, j'ai l'impression qu'il nous sourit…

La maison du pharmacien
N° 7, impasse du Soleil,
À 17 h 15

Maman sonne à la grille.

Entre les barreaux, j'aperçois un jardin désordonné, plein de taillis et d'arbustes poussés dans tous les sens.

– On dirait une mini-forêt, hein ? je dis à Maman.

Dire que je suis ravie d'aller chez « l'amoureux » de Maman serait un gros mensonge, mais – pour elle – je fais comme si je l'étais ! Elle a l'air vraiment heureuse, les bras encombrés d'un gros bouquet de tulipes multicolores qu'elle apporte en cadeau, même s'il n'y a que des garçons dans cette maison. Le pharmacien en sort pour nous ouvrir. Ses trois fils le suivent. Ils accourent en braillant :

– Salut, Violette !

J'ai un accès de timidité. Je ne peux pas leur répondre. À cet instant, surgissant d'un buisson, un petit oiseau vert vient voleter au-dessus de ma tête...

– Marquis ! je m'écrie.

C'est bien lui. Je reconnais ses joyeux zigzags, et il me reconnaît aussi, qu'est-ce qu'on parie ?

– Voilà, conclut Maman, tout est bien qui finit bien, l'oiseau perdu a trouvé le jardin de ses rêves...

Ils se sourient, elle et le pharmacien.

– Reviens voir Marquis quand tu veux, Violette, me dit-il.

Je saute de joie.

– Ça oui, je reviendrai !

– SUPER ! s'exclament les trois frères.

Et, se perchant sur une branche, Marquis lance un petit pépiement approbateur…

À suivre

L'auteur

Quand on écrit pour les enfants, on parle toujours de l'enfant qu'on a été. Violette me ressemble forcément ! Je lui ai transmis beaucoup de mes souvenirs et de mes rêves de petite fille. Je lui ai même confié ma poupée Bleuette que je n'avais jamais prêtée à personne ; c'est dire si nous sommes proches, Violette et moi !

Elle a un besoin de liberté pareil au mien à son âge. La lecture (intensive) était ma façon de m'évader. Les personnages de roman m'entraînaient derrière eux. Devenue « grande », c'est en écrivant des histoires que je m'évade… à la suite de Violette, par exemple !

L'illustratrice

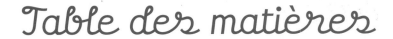

Table des matières